# 目錄

# 摩天大廈怎樣建成？

我們逛街抬頭看看，會看到不少高樓大廈，其中有一種是很高很高的，這種稱為摩天大廈。在香港著名的摩天大廈有位於尖沙咀的環球貿易廣場和位於中環的國際金融中心。如此高的建築物，到底是怎樣建造出來的呢？

首先是要打地基，使用打樁機將地樁打進地底深處，再填入混凝土或土壤，鞏固地底。然後在地基上搭上鋼筋，鋼筋是一條鋼製的建築材料，是大廈的骨架。之後鋪上混凝土作為樓板，最後就設置大廈必要的配備：電梯、水管、電線等等。

在建設的過程中，涉及很多複雜的技術和相關的技術人員，例如：機械工程師、建築師、監工、地盤工人、文員等。建造摩天大廈的過程毫不容易呢！

## 動手做 🖐 小小大廈

建造摩天大廈需要大量的人和物，而我們也可動手興建「小小大廈」。

### 材料：

迷你棉花糖

1 盒牙籤

膠紙或膠水

**1**

將 1 支牙籤插在迷你棉花糖上，再將另一粒棉花糖插在牙籤的另一端。

**2**

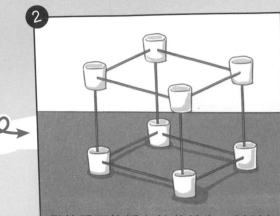

繼續將牙籤插在棉花糖上，試試組裝 2 個立體的正方形，加上 1 個三角形作屋頂吧！

**4**

完成！

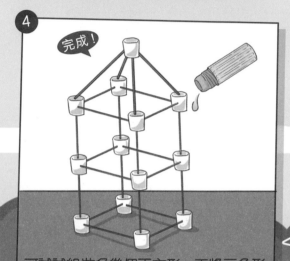

可試試組裝多幾個正方形，再將三角形屋頂組裝上去，並看看自己最高可砌出多高的大廈？建得愈高，地基和支架就愈要仔細連接好，可在牙籤和棉花糖的接合處貼上膠紙或塗上適量的膠水。

**3**

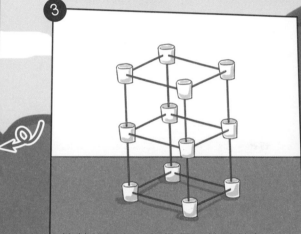

接着將正方形部件用牙籤連接起來，建成「小小大廈」！

## 解說 穩固的大廈

　　小小大廈就好像真實的摩天大樓一樣，需要穩固的地基，否則就會有塌下來的危機了。因為要維持建築物的重心，愈小愈窄的部份，會建於頂端。而其中三角形的結構比正方形或長方形來得更穩固，因三角形有三個支撐點互相支持，大廈較不易彎曲和變形，正方形或長方形則沒有一個直接的支撐點。所以不少大廈或吊橋都會用上三角形的設計，甚至古代埃及的金字塔也運用了三角形建築結構。

# 連接兩地的吊橋

香港有不少離島，除了乘船之外，為了更方便來往，也會興建大橋連接兩地。在我們乘車時，不妨觀察一下，有些大橋的外型是有兩座很高的橋塔，在橋塔之間有纜索或鏈索拉着，這種大橋叫做吊橋，也稱為懸索橋。香港的青馬大橋便是著名的吊橋，是全球跨度最長的行車、鐵路雙用吊橋。

一根根的吊桿和纜索為何可以拉起大橋？吊橋又為何每天可以承載這麼多的車輛來往？其實吊橋主要依靠兩座橋塔，由上方的纜索或鏈索以張力來平衡，還會垂下很多的吊桿支撐起來，情況好像露營時所搭的帳棚一樣。

而纜索或鏈索一般使用高強度的鋼材製作，所以有足夠的拉力拉起大橋，不會輕易倒下，也可以承受每天來往的車輛和火車。

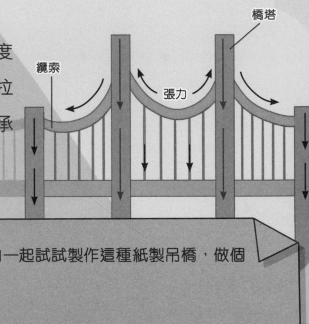

橋塔

纜索

張力

## 動手做 紙製吊橋

巨大的吊橋建造過程很複雜，不如一起試試製作這種紙製吊橋，做個小小工程師吧！

## 材料：

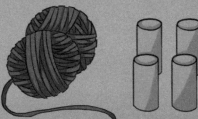

冷線或細繩

4 卷紙巾筒

間尺

剪刀

膠紙

5 條絨條

1 塊小紙皮
(6 厘米 x 71 厘米)

打孔機

**1**

在每個紙巾筒的上方左右兩邊打上圓孔。剪 2 條分別約 1 米長的冷線，再將其中一條冷線的一端用膠紙黏在平面上。

**2**

將 2 個紙巾筒直立，再用冷線穿過第一個紙巾筒的 2 個圓孔。拉起冷線，拉開約 20 厘米，將第一個紙巾筒固定位置並貼上膠紙。

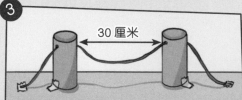

**3**

再在第一個紙巾筒處拉起冷線，拉開約 30 厘米直線，再穿過二個紙巾筒的圓孔，將第二個紙巾筒固定位置並貼上膠紙。將餘下的冷線拉開約 20 厘米，並在冷線上貼上膠紙。將中間的冷線拉下，成「U」字型。

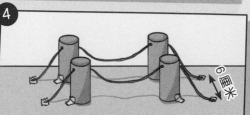

**4**

重複步驟 1-3 做出橋的另一邊，橋的兩邊要隔開約 6 厘米，再用膠紙固定位置。

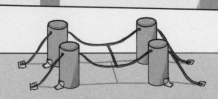

**5**

將絨條放在整座橋的中間，並勾在一邊的冷線上，再將絨條的一端拉在另一邊的冷線上，扭實並固定。

**6**

重複步驟 5 的做法，再多加 4 條絨條，每條絨條之間相距 5 厘米。

**7**

將紙皮放在絨條上，為了令橋面與地面連接，最後請將兩側的紙皮向下屈曲。

## 解說 💡 強大的張力和壓力

　　吊橋通過懸掛的纜索，用張力支撐着橋面的大部分重量，並由兩端的橋塔承受壓力。就好像冷線被絨條和膠紙施以張力，而橋塔 (紙巾筒) 要保持向下直立，承受壓力。

# 神奇的古代房屋

　　現在我們住的房子大多都是用水泥、鋼筋建造，但這些是現今才有的建築物料，那麼古代的人是怎樣建造房屋呢？

　　他們主要使用木材，並配以石灰漿、糯米漿或夯土等材料建屋，但比起材料，古時更為着重的是建築的工藝和技術。了解一下古時建造房屋的過程就可明白了！

　　首先，要建造台基，因為古代的房屋無法起得很高，但因軍事上可方便觀看外面的形勢，所以以台基作基礎。然後，會使用木材作房屋主體，以柱子與橫樑支撐整間屋。這些木頭可不是隨便搭出來，他們會使用古代常用的「榫卯」技法。榫卯即是一個凸出的木頭與一個凹入的木頭的接合。這個技法不用一根釘都可穩固建築，而且不易變形、磨蝕。最後再鋪好瓦片作屋頂就完成了。

　　古人的高超技術蓋起了一座座的古房屋，他們的智慧與建築技術絕不比現今遜色呢！

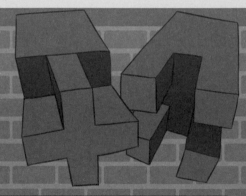

## 動手做 黏土屋

　　古代多以木材建屋，不過真實的木頭太重了，不如試試建造一間黏土屋，一嘗由零開始建築的樂趣！

### 材料：

 泥膠或黏土

大量幼細和筆直的樹枝

 紙和筆

 間尺

 剪刀

## 步驟：

**1**

首先在紙上勾勒出黏土屋的外型。記得要預留門口和至少一扇窗的位置。另外要考慮過程中要使用多少條樹枝呢？要起多高？想要尖屋頂還是平屋頂？

**2**

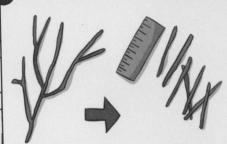

將幾條樹枝折成約 8 至 10 厘米長。

**4**

搓泥膠成幼條狀，用泥膠將第二排的樹枝固定在第一排的樹枝上。

**3**

將 3 條樹枝平放在桌面上。此時要考慮門放在哪裏，再將另一條樹枝折斷，形成一個有缺口的正方形。

**5**

繼續往上興建小屋，記得有需要時可折斷樹枝，以預留窗戶的位置。使用剪刀有助將樹枝剪成一樣的長度呢！

**6**

完成！

對照自己所畫的草圖，如發現與當初畫的不同，不妨作修改，直至能建成一座堅固的房屋為止。畢竟房屋最重要的是牢固，為此也要有適當的整修。

## 解說 井幹式結構

黏土屋使用了泥膠或黏土將樹枝固定在一起，其實是古代房屋常用的建築結構，叫作「井幹式結構」。這種結構由木條交疊，再利用「榫卯」技法，形成「井」字平面。而古人使用石灰漿等材料塗抹並密封木頭間的空隙，就像我們使用泥膠作黏合一樣。

7

# 日常中的槓桿原理

　　日常生活中會使用不同的工具，幫助我們更快捷和更輕易去完成某些操作。例如使用筷子夾飯菜、用開瓶器開瓶蓋、用掃把掃地等等。而操作這些工具時就運用了「槓桿原理」。

　　槓桿原理有三個必備元素：力點，即是施力的地方；支點，即是槓桿工具中的一個位置，這位置不能移動，只會被轉動；重點，即是物件重力所在的位置，是被施加力量的對象。

　　使用剪刀就是槓桿原理的典型例子。我們手拿着剪刀柄，展開剪刀，施力在剪刀柄的位置，是力點。展開剪刀時，中間的小螺絲位置是固定不動的，卻會因我們開合剪刀而轉動，這就是支點。重點則是剪刀的尖端位置，如將紙放在這位置，剪刀就會對紙張施加了力量，剪開紙張。

支點
重點
力點

## 動手做 🖐 桌上足球機

　　試製作這個好玩又刺激的桌上足球機吧！如果遇上困難，不妨找父母和朋友協助，完成後還可和他們一起玩呢！

### 材料：

10 個衣夾

4 支竹籤

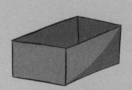

鞋盒 (不要蓋)

彈珠

原子筆

打孔機

間尺

剪刀

彩色膠紙

2 支不同顏色的箱頭筆

**1** 首先製作「足球員」。選擇兩種不同顏色的箱頭筆，在 5 個衣夾畫上同一種顏色，另外 5 個衣夾畫上另一種顏色。

**2** 用間尺在鞋盒兩邊的中間位置各繪畫一個長 5 厘米、高 3 厘米的長方形。然後剪開兩邊的長方形，這就是龍門了！

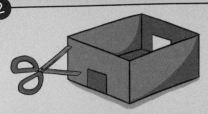

**3** 用間尺量度鞋盒的長度，找出鞋盒的中間位置，用間尺和筆畫上標記。在鞋盒中間位置的左、右方約 1/3 及 2/3 位置，畫上線作標記。

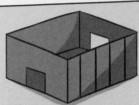

**4** 在上方距約 3 厘米的位置用間尺畫一條橫線，在有「十」字的位置打上圓孔。在鞋盒的另一側重複步驟 3-4。

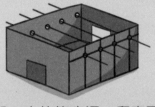

**5** 分別將 4 支竹籤穿洞，留意兩邊是否平行懸掛着。

**6** 將 3 個同樣顏色的衣夾固定在竹籤上，分別置於左、中、右邊。而另外 3 個另一顏色的衣夾同樣固定在竹籤上。將餘下各 2 個的衣夾，分別固定在另外兩支竹籤上。記着同一種顏色的衣夾要夾在一邊，另一種顏色的衣夾要夾在另一邊。

**7** 如想更加美觀，可用彩色膠紙裝飾鞋盒面，但不要貼在洞上啊！玩遊戲時，請將彈珠放在盒的中央，然後來回旋轉竹籤，控制「衣夾球員」打彈珠到對面的龍門。

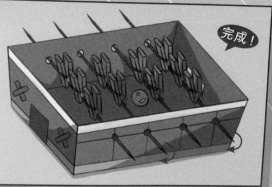

完成！

## 解說 桌上足球機的槓桿

桌上足球機就是運用了槓桿原理。我們手拿着竹籤一端的時候，就是施力的位置，即力點。而衣夾夾在竹籤上的位置是支點，因這位置是固定不變，但轉動竹籤時就會被轉動。衣夾末端會碰到彈珠的位置就是重點，因我們是施加力量到衣夾末端，使彈珠滾動。

# 船為甚麼可以浮在水面上？

相信不少人有坐船的經驗，乘坐時有沒有想過，為甚麼我們可以安坐船上，而不會沉在水中？

原因在於「浮力」。如果把船置於水上，船底會有一部分浸在水中，即船會將水排開，而排開的水的重量就是浮力，浮力令船隻能浮在水上。即使船裏盛載大量貨品、機器，但只要船上空氣佔大部分，船的重量還是比排開的水 (浮力) 輕的。

如果船不幸破洞入水，水把空氣擠出去，令船浮力減少，船的重量比排開的水重，那麼船就會下沉了。所以維修員和船員要確保船隻起行前和航行中都完好無損，責任十分重大。下次見到他們時，不妨說聲「謝謝」吧！

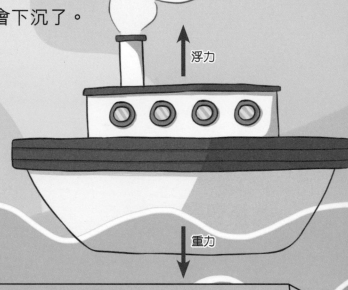

浮力

重力

## 動手做 銀幣小船

試製作這隻簡易版的小船，完成後我們就會更理解浮力的概念了。

### 材料：

大膠盆

水

錫紙

多個 5 毫硬幣

剪刀

間尺

**1**

在膠盆內注滿至少 1 公升的水。

**2**

15 厘米

撕下錫紙，並裁好為每邊 15 厘米的正方形，然後每邊向上摺疊，形成盆狀。

**4**

把錫紙盤 (小船) 放在水上看看能否浮在水面？如果無法浮在水面上，可試試以不同方式或摺上不同的形狀，只要小船能浮在水面上至少 10 秒就可以了。

**3**

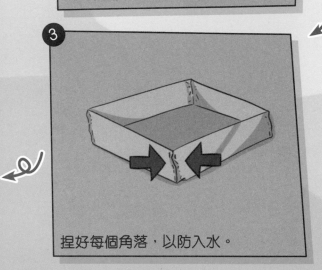

捏好每個角落，以防入水。

**5**

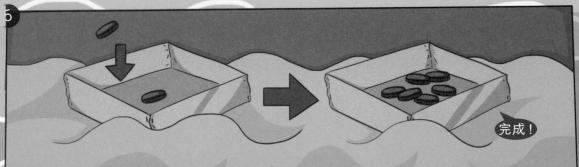

完成！

成功浮起後，請小心將 5 毫硬幣逐個放在船上，看看小船最終能放多少枚硬幣吧！

## 解說 💡 水重船輕

　　任何物體的重量只要比排開的水輕，就可以浮在水面上。換言之，因為水重而小船輕，即船的密度比水低，所以就算小船上放了一定數量的硬幣，也能浮在水面上而不會下沉。

# 車軸與車輪

在車道上我們看到各種車輛行駛，無論是小巴、巴士、的士、私家車，能夠順利前行，都是依靠車軸和車輪的推動。

輪軸是六種簡單機械之一。像車輪一樣，軸在內裏，是一個較小的圓。輪則在外圍，會比軸大。輪軸由一條軸心和圓輪組成，圓輪是固定在軸心上。它們會同步運轉，輪轉動一圈，軸也會轉一圈。另一方面，當一邊的圓輪轉動，另一邊的圓輪也會轉動。

日常生活中門把的開關、單車後腳踏、扭開水龍頭等工具或動作，都使用了輪軸的原理，可見輪軸幫助我們節省了不少的時間和氣力。

輪

軸

## 動手做 🖐 膠瓶車

這活動模擬了汽車的車輪，快來親自探索一下汽車運動的原理。

### 材料：

剪刀

小刀

已撕下招紙的空膠樽

2 支 15 厘米長的粗竹籤 (或將 1 支 30 厘米長的竹籤剪開一半)

4 個相同大小的膠蓋

**1**

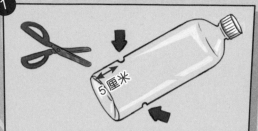

5 厘米

在離膠樽底部約 5 厘米的距離捏緊膠樽，然後用剪刀剪一個小空隙。將剪刀插到樽內，並切出一個小圓孔，該孔的大小要足夠穿過粗竹籤。如果使用較厚身的空瓶，可請父母代為剪圓孔。

**2**

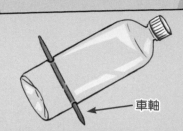

車軸

將 1 根粗竹籤插入圓孔中。要確保粗竹籤的位置夠低，使車輪裝上去時，可以接觸到地面，也要確保粗竹籤是筆直的，否則車輪就無法正常運作了。

**3**

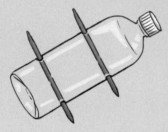

接着剪出前輪的小圓孔。記住要留意前輪和後輪是否平行，確保圓孔的高度是相同的。再將第 2 根粗竹籤插入圓孔中。

**4**

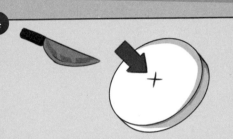

可讓大人幫忙用小刀在 4 個膠蓋的中央切一個小「X」形。

**5**

車輪

將膠蓋插到粗竹籤上，成為車輪。

**6**

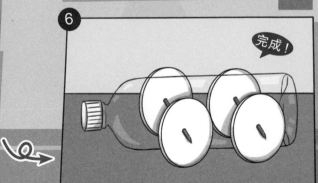

完成！

嘗試在地板上推動膠瓶車。如果沒有滾動，請試試調整車軸的高度，或使用較大的膠蓋。

---

解說 **簡單機械組合**

　　膠瓶車使用了簡單機械組合：車輪和車軸。當車軸旋轉時，連接在軸上的車輪也會隨之轉動，使膠瓶車向前移動。如果失敗的話請多嘗試幾次，不要氣餒！

# 海水化淡

世界的淡水資源並非無窮無盡，很多地方都沒有足夠的食水供給人民，所以各國都盡力使用不同的技術豐富水資源，而海水化淡就是其中一種了。首先海水化淡廠會使用過濾裝置，過濾一些可見的固體：雜物、沙粒、砂礫和碎屑等。然後會經過再深一層的過濾，清除更微小、我們肉眼看不見的懸浮物。

接着會使用較常見的多級閃蒸法進行海水化淡。多級閃蒸法由多個互相連接的閃蒸室組成，首先會將海水進行加熱，然後進入一個較低壓的閃蒸室，常溫的水在低壓環境下會急速沸騰，令海水蒸發成水氣，並凝結成乾淨的水。接着再反覆多次進行閃蒸，使水完全脫去鹽份。最後我們就有乾淨的淡水使用了！

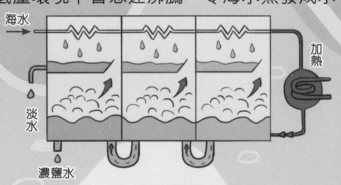

動手做 🖐 鹽水過濾器製作

海水化淡廠內的機器十分龐大，但我們也能試試利用晴天的熱力和日常用具，做出類似的小裝置。

材料：

深度較淺的膠桶(要高於玻璃瓶)　玻璃瓶　石頭　保鮮紙　湯匙

水　鹽　橡筋

**1**

倒約 130 毫升水在膠桶內，並加入 2 至 3 湯匙鹽。

**2**

將水桶放在陽光充足的平地上。

**4**

使用保鮮紙蓋住水桶，用橡筋綁實，確保密封。

**3**

小心將乾淨的玻璃瓶放在水桶中間，千萬不要在玻璃瓶內放鹽水啊！

**5**

最後在保鮮紙上方放一塊小石頭，位置要在玻璃瓶上，並靜置 3 至 4 小時。

**6**

完成！

看看玻璃瓶內已有少量的水。可試試水的味道，沒有鹹味，不是鹽水！

## 解說 💡 水的淨化

太陽的熱力使水桶中的水蒸發，而保鮮紙可防止蒸發的水份散失，並在膜上形成水滴。頂部的石頭則使水滴集中流向水桶的中心，然後就會落入玻璃瓶中。經淨化過的水是淡而無味的。

# 火箭的原理

在電視新聞上的火箭升空畫面十分壯觀呢！火箭能升上離我們這麼遠的太空之中，你知道是怎樣運作的嗎？

在地球的一切都受重力影響，而要對抗地球的重力，就要運用另外的力量，才可將火箭送上天空。火箭噴射的原理主要是基於牛頓第三運動定律。牛頓第三運動定律指出，每個作用力都會產生一個大小相同、但方向相反的反作用力。當火箭的燃燒氣體在火箭底部向下噴出 (作用力)，另一邊相反的反作用力使火箭向上推進，這樣火箭就能升上遙遠的太空了。

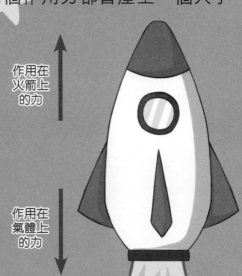

作用在火箭上的力

作用在氣體上的力

運用作用力與反作用力的例子還有很多，例如游泳、划船、正在洩氣的氣球等等。

## 動手做 ✋ 水火箭

原來只需用醋和梳打粉就能產生化學反應，並可具體顯示出作用力和反作用力的效果。來玩一下以下水火箭的實驗，過程十分有趣！

### 材料：

| 原子筆 | 梳打粉 | 湯匙 | 量杯 | 剪刀 | 小刀 |
|---|---|---|---|---|---|
| 浴缸或大塑膠容器 | 可彎曲的膠飲筒 | 空水樽 | 彩麗皮 | 牛皮膠紙 | 醋 |

**步驟：**

**1**

可先請父母用小刀在水樽瓶蓋的中央切一個小交叉。再將飲筒穿過瓶蓋，可利用原子筆筆尖使切口打開多一點。

**2**
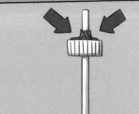
飲筒和瓶蓋接口處請用少量牛皮膠紙黏好，不能有空隙。

**4**

在浴缸或大塑膠容器內注入約 2/3 滿的水，再將 1/4 杯的醋倒進水樽內。

**3**
剪出 2 個三角形彩麗皮作火箭的機翼，用牛皮膠紙將它們黏在水樽的兩側。

**5**

稍微傾斜水樽，用手指將 1 湯匙梳打粉塗在樽內近樽口處。記住梳打粉不可以接觸到醋。

**6**

保持水樽傾斜，慢慢放入飲管，扭實瓶蓋，以免有空氣進入。

**7**
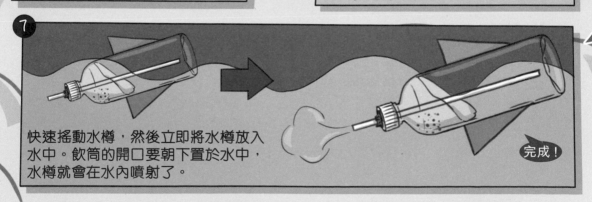
快速搖動水樽，然後立即將水樽放入水中。飲筒的開口要朝下置於水中，水樽就會在水內噴射了。

完成！

**解說　作用力與反作用力**

　　將醋和梳打粉混合並快速搖動水樽，就會產生化學反應。這化學反應過程產生了氣體：二氧化碳。因水的阻力大，氣體從水樽溢出，並穿過唯一的開口：飲筒，產生了作用力，相反的反作用力則使水樽向前推進。

# 降落傘的阻力

有沒有曾在電視劇集中看到一群士兵揹着降落傘，從飛機上跳下來的場面？看起來很輕的降落傘，竟然可讓人從高空上安全下降到地面，真是神奇！

人和物體可以直立，都是因為地球有地心吸力，地心吸力是自然有的重力，會將地球上所有的物體拉向地面。但我們可以利用如降落傘一樣的物件，增加空氣的阻力，以抵抗地心吸力。

降落傘的繩索綁在傘和人身上，打開降落傘下降時產生空氣阻力，緩衝了物體落地的時間。而空氣阻力小，下降的速度就快；空氣阻力大，下降的速度就會減慢。降落傘下降的速度還受不同因素影響，例如傘面的大小和物料、風力等等。

## 動手做 小小降落傘

這活動可以讓你知道降落傘能讓人安全在高空下降的原因。

### 材料：

椅子

小玩具模型(例如塑膠動物、小士兵等)

線

蠟筆

平底的咖啡過濾紙

剪刀

**1**

站在椅子上,在高處放開小玩具,看到玩具下降得很快呢。

**2**
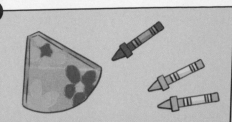
打開咖啡過濾紙,在上面使用蠟筆繪圖裝飾吧!

**3**
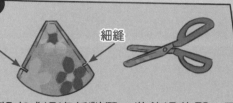
細縫
將咖啡過濾紙對摺,裝飾過的那一面朝外。沿紙邊相距約 0.5 厘米的位置上,剪出 2 條細縫。

**4**

剪 1 條長 30 厘米的線。

**5**
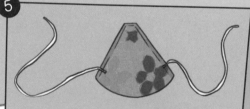
將線穿過過濾紙上的兩個孔,成為降落傘。

**6**

將線的末端綁在小玩具上(做傘兵)。如有需要,可使用膠紙黏貼好。

**7**

完成!
站在椅子上,把降落傘打開並在高處放開降落傘,看看降落傘有沒有減慢玩具的下降速度?

**解說 重力與阻力**

重力使物體拉向地面,而降落傘產生了空氣阻力,阻力小於玩具的重力,玩具依然下降,但降落速度減慢。

# 高速過山車

　　乘坐過山車急速又刺激，甚至整架車違反了地心吸力般反轉也不會掉下來。這是因為位能和動能互相轉換所致。

　　過山車靠着機器和齒輪發動，首先會被帶到最高處，這時就是提升了位能。而離地面愈高，位能則愈大。然後過山車急速下滑，速度增加，這就產生了動能。而位能減少多少，動能就會增加多少。

　　另外，過山車的軌道多是呈高低起伏的山谷狀。如果過山車通過提升位能產生了很大的動能，那麼就可以連過兩個山谷。但過山車和軌道之間存在摩擦阻力，車的能量會減少。所以，多數過山車都會設計成第一個山谷是最高點，接着的山谷高度就會逐漸下降，否則就需要額外的電力拉上去。

## 動手做 🖐 浮條過山車

　　時而衝上，時而下降，過山車刺激好玩，不過有些人未必夠膽乘坐呢！這個活動可以不用親自乘坐，也能了解到過山車的運行原理。

### 材料：

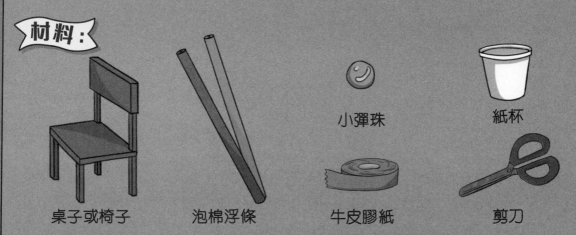

桌子或椅子　　　泡棉浮條　　　小彈珠　　　紙杯　　　牛皮膠紙　　　剪刀

**1**

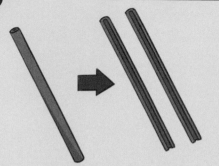

首先將浮條剪成兩半，分成兩條軌道。

**2**

使用牛皮膠紙將 1 條浮條軌道的頂部固定在椅子或桌子上。

**3**

將紙杯放在軌道下，並試着將小彈珠在頂端放下，看看彈珠會不會順着軌道跌在紙杯內。如果偏離了，請試着調整一下軌道。

**4**

接着移開紙杯，接駁另一半的浮條，並在接駁處用牛皮膠紙黏貼好。使用牛皮膠紙時，記得要緊貼軌道上，否則凹凸不平會使彈珠掉下軌道。

**5**

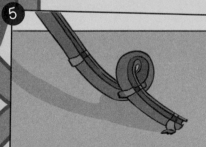

為了增加難度，可扭曲浮條形成圓形迴路，並用膠紙貼在軌道及地上，可貼多點膠紙令其固定。

**6**

完成！

再次將紙杯平放在軌道前，並在頂處放上小彈珠，看看彈珠能否順利到達平放的紙杯內。如果不能，請撕開膠紙，重新調整軌道，直至彈珠能到達紙杯內。

## 解說 位能和動能

　　就像真正的過山車，彈珠在軌道頂端時具有位能。當放開彈珠時，釋放了能量，從軌道上滾下來，變成為動能。彈珠如有足夠的速度和動力，便能夠在遇到迴路時，沿着圓形迴路翻起並繼續向前滾動。

# 飛快的磁浮列車

有一種列車比香港的地鐵行駛得更快，答案是磁浮列車。日本磁浮列車的速度曾創下健力士世界紀錄，可以想像列車駛得多麼快！可以如此飛快的原因在於磁浮列車使用了「磁力」。

磁浮列車利用了底部的磁力，令其可浮於軌道上。由於磁力有同性相斥、異性相吸的特性，所以會先在軌道處放置線圈，當列車底部的電流通過線圈時，就會產生磁力，令線圈和列車一樣都有磁力，但因同性互相排斥而浮起。

雖然說磁浮列車是不依靠車輪與軌道的接觸，也不會產生因接觸而來的摩擦力，但因為要產生感應電流，所以也要先利用車輪開動列車，當到達某個速度時，列車才會收起車輪並懸浮。

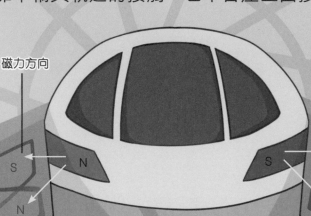

磁力方向

## 動手做 ✋ 磁力鐵釘裝置

不少機器和設計都利用電磁鐵製作工具或部件。現在試試建立自己的磁力裝置。

### 材料：

AA 電芯

大鐵釘

萬字夾

銅線

砂紙

剪刀

膠紙

22

**1**

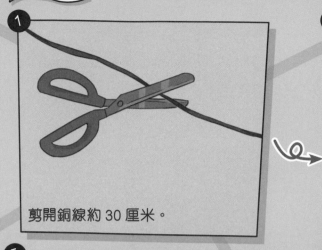

剪開銅線約 30 厘米。

**2**

將銅線緊密而整齊地繞在大鐵釘上，兩邊留約 13 厘米的銅線。

**5**

完成！

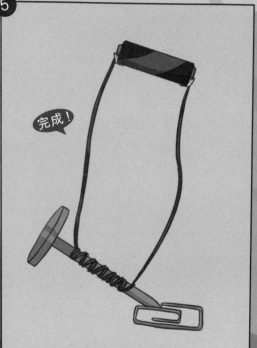

拿着電池中間位置，用鐵釘的末端碰萬字夾。如剛才有正確設置電磁鐵裝置，那麼鐵釘就可吸起萬字夾了。

**3**

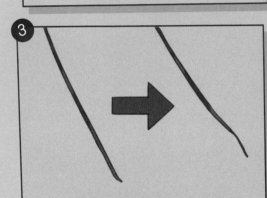

用砂紙輕輕磨去兩端約 3 厘米位置，令銅線內的銅芯露出來。

**4**

將兩邊銅芯用膠紙貼在電池的兩邊。如有需要，可請父母幫忙，因為銅線一旦接觸電池就會很快變熱，要小心處理。

解說 **電磁鐵裝置**

電流經銅線到達鐵釘的末端，釘末端的電子會重新分布，產生磁力，所以就能吸起萬字夾了。電磁鐵比天然磁鐵的應用更廣泛，不但容易製作，而且可以通過通電和斷電來控制磁場在有需要時才出現。

# 道路建設

在很久很久以前，這個地球還是一片荒野平原。人類為了居住和出入更方便，開始興建各種道路，並將道路劃分成不同區域。

建設道路之前首先要設計與規劃，視乎道路本身的狀況和人們的需要而建不同的道路，道路一般分為公路及街道。施工時，會先用推土機剷除雜草、樹木、雜物、腐植土等，並要將樹根挖除，坑洞會用泥土或石頭填平。清理完成後，壓土機將所有泥土壓實。然後造出道路的面層，一般會用石頭、瀝青混合物、水泥混凝土等作建造材料。因表面要承受人類、車輛或不同設備的重量，所以建造時要加固面層，並設置不同的防護設備，例如車輛指示燈、道路標誌、安全島、護欄、植被等。

## 動手做 彈珠迷宮

道路有筆直的、彎曲的，要成功到達目的地就要有良好的規劃。你也試試規劃迷宮的路線，引導彈珠在彩色迷宮裏到達終點吧。

### 材料：

彩色絨條

鞋盒蓋

彈珠

透明膠紙

剪刀　　箱頭筆

**1**

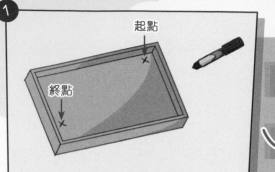

起點

終點

在鞋盒蓋上選擇一個角落作起點，也在另一方選擇一個角落作終點，用箱頭筆將這兩點標示出來。

**2**

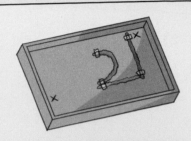

接着用不同顏色的絨條創建一個彩色迷宮吧！可以彎曲或剪開絨條，砌出不同難度的迷宮，接着用膠紙固定絨條的位置，但不需黏得太緊，避免壓扁絨條。

**3**

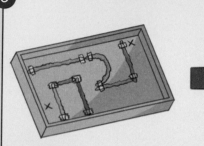

完成迷宮後，可將彈珠放在起點處，用雙手左右移動和傾側盒子，引導彈珠到達終點。

完成！

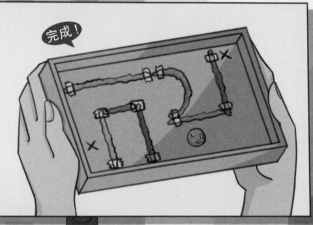

**解說　道路規劃**

規劃好迷宮，就能讓彈珠到達終點。好的道路建設可以令我們不走「冤枉路」，更有效到達想要的目的地呢！

# 建設水壩

　　每當發生大雨時，有些地方容易水浸和引發山洪暴發，造成房屋及財物的損失，嚴重的話更會引致人命傷亡。為了避免悲劇發生，建築水壩、阻擋水流是其中一個解決方法。

　　水壩是建築在河道中的屏障，可防止水患，也可用以發電、儲水等。水壩多使用混凝土建造，因為混凝土物料夠重夠堅固，令水壩有穩固壩基，就算大量的水衝來，也可阻截水流。水壩就像一面大牆，攔截水流後，水位會抬高，水集中於一處，形成水庫，然後就可以調節和控制水流，將水分配至灌溉、水力發電、航運等等。所以水壩不只防止災害，更可以令水資源被充份利用呢！

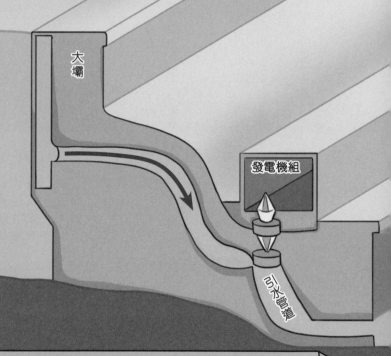

大壩

發電機組

引水管道

## 動手做 小水壩

　　小水壩也需要堅固的物料阻絕水流，試試完成一個穩固的小水壩。記得這活動要在浴室進行。

### 材料：

樹枝　　　　水桶或膠喉　　　石頭　　　樹葉　　　錫紙　　　泥膠

**1**

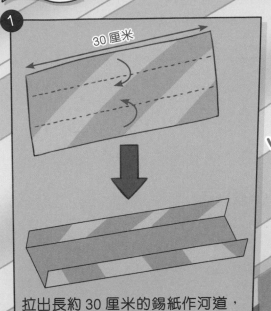

拉出長約 30 厘米的錫紙作河道，左右兩邊摺成盤狀。如要令河道更堅固，可加多一層錫紙。

**2**

用樹枝、樹葉和石頭在錫紙河道上築起水壩。

**4**

完成！

試慢慢打開水，通過膠喉讓水流下來。如果沒有膠喉，可用水桶慢慢倒水下去。試試水壩有沒有足夠力量擋去水流。

**3**

此時水壩還不夠堅固，可用泥膠將洞口密封住。

## 解說 堅固的水壩

水壩必須足夠堅固才可以阻止水流下來的力量，所以在建築真正的大壩時，工程師會選擇較堅固的物料，如混凝土作建築材料，確保水壩能有牢固的基礎，不被水流破壞和動搖。

# 飛機的奧秘

　　飛機能離開地面，飛至世界各地，而機艙內更盛載了大量的人和物品，也可完成飛行，實在奇妙。飛機飛行的奧秘就在於四種力量的互相結合：重力、推力、阻力、升力。

　　首先飛機自己本身的重量就是重力。當飛機起飛時，引擎高速運行，產生推力。飛機在地面加速前進，氣流和飛機表面產生摩擦，就是阻力。而機翼上方有弧度，當飛機開動，空氣流經機翼，因弧形會使空氣流速增加，同時降低壓力。另一方面，因機翼的下方是平的，所以當空氣流經機翼，就會使空氣流速減慢，壓力提高。而機翼下方的氣流壓力大於上方的氣流壓力，使機翼有向上的動力，產生向上的升力。當推力大於阻力、升力大於重力，互相作用下飛機就可因此順利升空了。

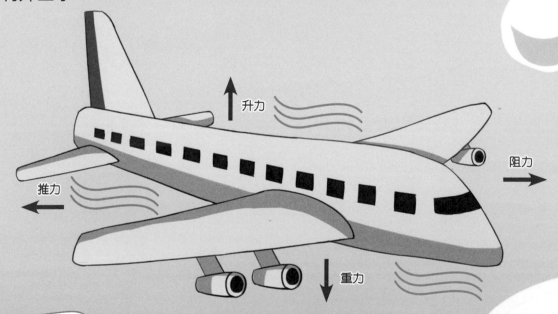

升力　阻力　推力　重力

**動手做 紙飛機**

　　雖然無法真的製造一架飛機，但我們也可摺一隻紙飛機，觀察影響飛行的因素。

材料：

色紙

**步驟：**

**1**

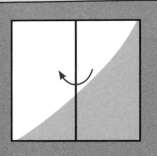  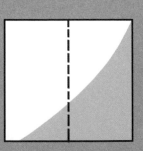

首先把色紙左右對摺，製造一條在正中間的摺痕。

**2**

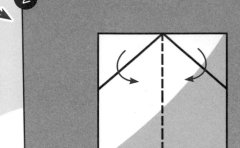  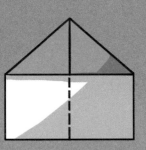

打開對摺，將左上角及右上角摺向中間的摺痕，摺完後會好像一間屋子。

**3**

完成！

然後左右對摺，將兩側紙張向外翻摺就完成了。可捏住「機身」，水平地將飛機推出去，試試能飛多遠。

**解說 飛行原理**

　　紙飛機重量雖輕，也有其自身的重力。紙飛機在我們用手推出去時，就是推力。氣流和紙飛機表面都會產生阻力。而紙飛機的小機翼，因左右對摺，兩邊的升力也會較平均，令飛行更穩定。

# 基因工程

有沒有在超級市場內看到過正方形的西瓜？又有沒有聽過「超級豬」？這些其實都是透過基因工程改造的動植物。

基因工程是指使用生物技術直接控制不同生物、植物的基因，可以轉移或結合同一物種或跨物種的基因，令一種新的生物體誕生。這種技術的好處是將不好的基因消除，加入令生物或植物更適合生存的基因。市面上有些基因改造食物，例如大豆、粟米、番茄等，基因改造會令其生長速度加快，可抵抗惡劣的生長環境，作物更不容易死亡。長遠來說，可解決全球糧食危機。

不過，基因改造工程也引起不少爭論。例如長遠對健康是否有害、破壞生態平衡、宗教倫理問題等。基因改造工程的好壞，還是要留待時間去討論和證實呢！

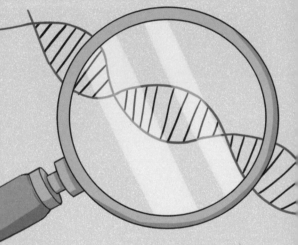

## 動手做　基因螺旋模型

基因是帶有遺傳信息的基本單位，是樣子呈雙螺旋狀的大分子 (即 DNA 分子)，不妨試試動手做出一個 DNA 分子出來吧！

### 材料：

咭紙

紅色、黃色、藍色和綠色的箱頭筆

間尺

鉛筆

剪刀

顏色膠紙

**1**

在咭紙上畫上共 12 個長 4 厘米、闊 1 厘米的長方形。

**2**

再用箱頭筆分別填滿以下顏色的長方形：6 條紅色、藍色的長方形，以及 6 條黃色、綠色的長方形，然後把長方形剪出來。

**3**

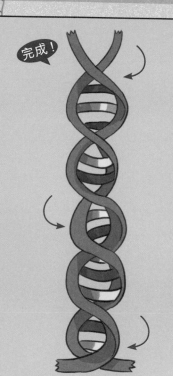

2 厘米

接着撕開約 65 厘米的顏色膠紙，黏貼的一邊向外，再撕開 65 厘米顏色膠紙，同樣黏貼的一邊向外，要和第一條膠紙相隔 2 厘米。

**5**

完成！

最後將紙順時針扭曲幾下，就完成基因模型了。

**4**

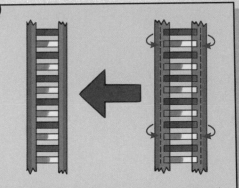

將兩種長方形梅花間竹地黏在膠紙上，黏好後將膠紙向內摺。

**解說 🔆 遺傳基因**

　　這個模型模仿了 DNA 分子的外形，其形狀是像螺旋的紐帶。DNA 分子由 4 種小分子不斷重複而構成長鏈，如模型中 4 種不同顏色的紙條一樣，這些小分子以氫鍵連接，就組成了遺傳基因，而遺傳信息就藏在小分子的序列中。

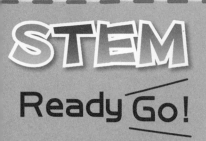

## STEM Ready Go!

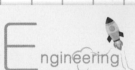
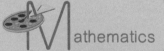

### STEM Ready Go! 科學

頁數：32頁全彩
書價：HK$49、NT$190

　　以日常生活經驗學習生物、化學、物理等科學知識，內容包括：
· 探索動植物：生物分類、生境、光合作用、食物鏈、消化系統
· 化學反應：溶於水、酸鹼度、生鏽
· 日常科學：水的形態、浮力、電
· 能量傳遞：磁力、聲波、光折射、能量轉換

### STEM Ready Go! 科技

頁數：32頁全彩
書價：HK$49、NT$190

　　掌握日常科技概念，激發解決問題創意，多幅精美彩色繪圖，動動手做有趣手工和實驗！內容包括：
· 通訊科技：電腦、智能電話、無線電波、互聯網
· 生活科技：條碼、二維碼、智能卡
· 應用科技：電磁爐、製冷系統、物料科學
· 環保科技：溫室、水耕系統、電動車
· 最新科技：無人機、機械人、虛擬實境